a Jean

D0673256

Septembre 2007,

Mes carnets aux questions

Le corps

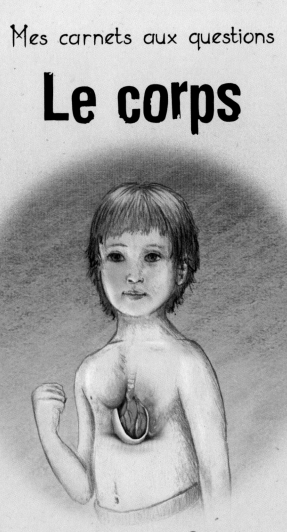

par professeur Génius

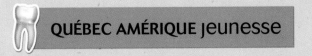

QUÉBEC AMÉRIQUE jeunesse

Catalogage avant publication de Bibliothèque et Archives Canada

Professeur Génius
Le corps
(Mes carnets aux questions)
Comprend un index
Pour les jeunes de 7 ans et plus
ISBN-13 : 978-2-7644-0846-9
ISBN-10 : 2-7644-0846-3

1. Corps humain - Ouvrages pour la jeunesse. 2. Physiologie humaine -
Ouvrages pour la jeunesse. 3. Anatomie humaine - Ouvrages pour la
jeunesse. I. Titre. II. Collection.

QP37.P772 2007   j612   C2006-940907-2

Le corps, Mes carnets aux questions, a été conçu et créé par :

Québec Amérique Jeunesse
une division des
Éditions Québec Amérique inc.
3e étage
329, rue de la Commune Ouest
Montréal (Québec)
H2Y 2E1 Canada

T 514.499.3000   **F** 514.499.3010
www.quebec-amerique.com

Imprimé et relié à Singapour.
10 9 8 7 6 5 4 3 2 1   13 12 11 10 09 08 07

Nous reconnaissons l'aide financière du
gouvernement du Canada par l'entremise du
Programme d'aide au développement de l'industrie
de l'édition (PADIÉ) pour nos activités d'édition.

Conseil des Arts   Canada Council   SODEC
du Canada   for the Arts   Québec ::

Gouvernement du Québec – Programme de crédit
d'impôt pour l'édition de livres – Gestion SODEC.

Les Éditions Québec Amérique bénéficient du
Programme de subvention globale du Conseil
des Arts du Canada. Elles tiennent également à
remercier la SODEC pour son appui financier.

Les personnages qui peuplent l'univers du professeur Génius
sont pure fantaisie. Toute ressemblance avec des personnes
vivantes serait fortuite. Bien que les faits qu'ils contiennent
soient justes, les articles de journaux, lettres d'époque, livres
et revues tirés de la collection personnelle du professeur sont
également issus de l'imaginaire des créateurs de ce carnet.

www.geniusinfo.net

Table des matières

De quoi est faite notre peau? 5

À quoi servent nos os? 10

Combien a-t-on d'os et de quoi sont-ils faits? 12

À quoi sert notre langue? 17

Comment le corps bouge-t-il? 20

À quoi ressemble le cœur? 24

À quoi sert la salive? 27

Comment les aveugles font-ils pour lire? 30

Comment fonctionnent les yeux? 33

Pourquoi a-t-on deux oreilles? 36

Pourquoi les dents de lait tombent-elles? 38

À quoi servent les sourcils et les cils? 41

Pourquoi est-ce qu'on pue des pieds? 44

Pourquoi avons-nous plusieurs types de dents? 46

Pourquoi faut-il manger pour grandir? 48

Pourquoi le sang est-il rouge? 52

À quoi servent les ongles? 55

Pourquoi a-t-on des couleurs de peau différentes? 59

Pourquoi mes grands-parents ont-ils les cheveux blancs? . . 62

Pourquoi avons-nous parfois le hoquet? 64

Pourquoi la pupille n'a-t-elle pas toujours la même taille? . . . 68

Pourquoi ressemblons-nous à nos parents? 71

Pourquoi est-ce qu'on pète? 74

Que sont les empreintes digitales? 76

Comment les cheveux poussent-ils? 79

Qu'est-ce que le pipi? 82

Qu'est-ce que le nombril? 85

Pourquoi la peau des vieilles personnes est-elle toute plissée? . . 88

Pourquoi certaines personnes n'ont-elles pas de cheveux? . . 90

Pourquoi ferme-t-on les yeux quand on dort? 92

À toi qui ouvres ce carnet,

Chaque jour, ton cœur bat, tes poumons respirent et ton estomac digère sans que tu en aies conscience... Le corps humain est une machine incroyablement efficace ! Tout ce qui le concerne me passionne. Ce compagnon de tous les jours captive aussi de nombreux jeunes curieux comme toi. J'ai reçu tant de questions à son sujet ! Pourquoi avons-nous deux oreilles ? Qu'est-ce que le nombril ? À quoi sert notre langue ? Que sont les empreintes digitales ? Voilà quelques-unes des questions que des enfants m'ont envoyées. J'y réponds dans ce carnet en m'aidant de schémas simples, de photographies et d'illustrations. J'espère que tu y trouveras les réponses aux questions que toi-même tu te poses...

Bonne lecture, mon ami !

professeur Génius

Cher monsieur Génius,
J'aimerais savoir de quoi est faite ma peau?
Merci pour votre réponse.

Audrey, 8 ans

Ma chère Audrey,

Avant de répondre à ta question, laisse-moi d'abord te préciser de quoi est fait notre corps. Pour cela, je vais te raconter un petit souvenir de vacances... Au cours de l'été 2002, ma sœur et moi nous sommes promenés parmi des statues de sable sculptées par d'ingénieux bâtisseurs. Nous étions sur la plage de Hardelot, dans le Nord de la France. Avec les milliards de grains de sable qui les constituaient, ces statues m'ont rappelé notre corps. Sais-tu pourquoi? Parce que, comme elles, notre corps est composé de plusieurs milliards

Voici une de ces belles sculptures de sable réalisées sur la plage de Hardelot.

de minuscules structures que l'on nomme « cellules ». Contrairement aux grains de sable, nos cellules sont bien vivantes ! Elles naissent, grandissent, se nourrissent, se reproduisent et meurent. C'est grâce à elles que notre corps fonctionne si bien ! Il en existe de nombreux types… À vrai dire, chaque élément de notre corps est fait d'un assemblage de cellules semblables. Ainsi, le cœur est un ensemble de cellules, tout comme les poumons, les muscles, le cerveau ou encore... la peau. Cette immense enveloppe est un des organes les plus précieux de notre corps. Bien sûr, le cœur, le cerveau ou les poumons sont aussi très importants (ils nous sont même indispensables!), mais la peau est notre premier contact avec l'extérieur. Elle nous informe de ce qui se passe autour de nous. Caresses, blessures, température agréable ou dangereuse... tout est détecté! La peau est aussi une véritable barrière qui protège notre organisme des microbes, des chocs et des mauvais rayons du Soleil. Mais il est temps que je réponde à ta question! Je t'ai dessiné un schéma sur les deux pages suivantes. Il te montre les trois couches qui composent la peau ainsi que les structures qui y sont présentes.

Plusieurs RÉCEPTEURS NERVEUX détectent les signaux extérieurs comme la douleur, les variations de température ou de pression.

Le PORE SUDORIPARE libère la sueur à la surface de la peau.

L'ÉPIDERME est la partie de la peau que tu peux toucher. Il forme une véritable barrière contre les agressions de l'extérieur.

Le DERME est composé de nombreuses structures qui informent le corps sur les évènements extérieurs.

L'HYPODERME est principalement constitué de cellules de graisses. Elles amortissent les chocs extérieurs et conservent la chaleur du corps.

La GLANDE SUDORIPARE fabrique la sueur.

8

La GLANDE SÉBACÉE produit
une huile naturelle, le sébum, qui
empêche la peau de sécher.

Le FOLLICULE PILEUX
fabrique le poil.

Le MUSCLE fait se dresser le poil
quand il fait froid (c'est ce redressement
qu'on appelle la « chair de poule »).

Les VAISSEAUX
SANGUINS acheminent le
sang aux cellules de la peau.

Prends bien soin
de ton habit de
peau, petite Audrey, tu
resteras ainsi longtemps
en santé.

Affectueusement,

Ton ami Génius

9

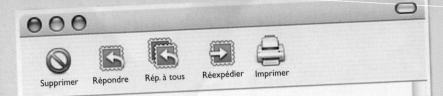

De : Adam
Sujet : Les os
Date : 7 août 2006
À : professeur Génius

Cher professeur Génius,

J'aimerais savoir pourquoi on a des
os à l'intérieur de nous ?

Merci de me répondre.
Adam, 7 ans

Mon cher Adam,

Imagine un instant que notre corps ne
possède pas d'os. Que penses-tu qu'il se
passerait ? Réfléchissons ensemble... Si une
maison n'a pas de murs, que fait-elle ? Tu
l'as deviné... elle s'effondre. Eh bien, pour
notre corps, c'est la même chose. Sans os,
il serait complètement mou et s'effondrerait

immédiatement. En plus de soutenir notre corps, les os protègent les éléments importants de notre organisme. Tu peux l'observer par toi-même! Tâte ta tête soigneusement... Elle est dure partout, n'est-ce pas?

Ce sont les os de ton crâne qui forment un véritable casque protecteur pour le cerveau. Ta cage thoracique, elle, abrite le cœur et les poumons. Ton bassin entoure tes reins et une partie de ton appareil reproducteur.

Le crâne

La cage thoracique

Le bassin

Après l'émail des dents, nos os sont la matière la plus dure du corps. Savais-tu qu'entre un os et une barre d'acier de même poids, c'est l'os qui est le plus solide ? Voilà de quoi rassurer sur la solidité de notre corps ! Fais tout de même attention de ne pas tomber d'un arbre ou dans l'escalier car même si tes os sont solides, ils peuvent se casser !

À bientôt,

Génius

Objet : Question pour le professeur Génius
Date : 8 septembre 2006
À : professeur Génius

Bonjour monsieur Génius,

J'aimerais savoir combien on a d'os et aussi, en quoi ils sont fabriqués ?

Merci.
Théo, 10 ans

Bonjour Théo,

Le corps d'un nouveau-né contient environ 350 os. Certains se soudent ou, si tu préfères, se collent entre eux pendant la croissance, ce qui fait que le corps d'un adulte n'en compte plus que 206! Ces os ont des formes et des tailles très différentes. Certains sont minces et aplatis, pour protéger les organes. C'est le cas, par exemple, des os du crâne. D'autres sont longs, pour permettre d'effectuer de grands mouvements. Ce sont les os des bras et des jambes. D'autres, enfin, sont courts comme ceux du poignet ou de la cheville. Ils relient une partie du corps à une autre. Grâce à eux, le corps bouge mieux. Tu imagines bien que je ne peux te nommer tous ces os! Je me limiterai donc à identifier les principaux sur le squelette que je t'ai dessiné à la page suivante.

Le crâne est formé de 22 os.

Maxillaire inférieur (mâchoire inférieure)

Clavicule

Omoplate

Sternum

Côtes (12 paires)

Humérus

Radius

Cubitus

La colonne vertébrale est formée de 33 vertèbres.

Coccyx

Tibia

Fémur

Péroné

Rotule

14

La main, avec le
poignet, est formée
de 27 os.

Nos os sont constitués de cellules, de
minéraux et de collagène. Les minéraux,
notamment le calcium et le phosphore, sont
responsables de leur solidité. Le collagène
est une substance qui les rend plus flexibles.
La couche de cellules à l'extérieur de l'os
est très dure, elle est appelée os compact.
À l'intérieur, on trouve la moelle osseuse,
une substance molle et graisseuse qui
fabrique les cellules du sang. Il y a aussi
des vaisseaux sanguins et l'os spongieux,
une matière osseuse beaucoup moins dense
que l'os compact.

Le pied est
formé de 26 os.

Jette un coup d'œil à mon illustration d'os de fémur. Tu pourras y reconnaître ses principales composantes.

L'OS SPONGIEUX ressemble à une éponge (mais il est beaucoup plus dur !).

L'OS COMPACT est la couche d'os lisse et dense qui recouvre l'extérieur de l'os.

Les VAISSEAUX SANGUINS acheminent le sang jusqu'aux cellules osseuses.

La MOELLE OSSEUSE de certains os fabrique chaque jour des millions de cellules du sang qui quittent l'os par les vaisseaux sanguins.

Bien à toi,

Ton ami Génius

Cher monsieur Génius,

Ma petite sœur Noémie me tire souvent la langue et je me demandais à quoi elle servait (notre langue, je veux dire)?

Merci beaucoup.

Bernadette, 9 ans

Chère Bernadette,

Tu pourras dire de ma part à Noémie que c'est une drôle de petite coquine! Mais voyons ta question... La langue, tu t'en doutes bien, est l'organe qui détecte le goût des aliments que tu manges. La prochaine fois que tu te regarderas dans un miroir, tire la langue et observe sa surface. Elle est parsemée de petites bosses. Ce sont les papilles. Certaines de ces papilles contiennent plusieurs petits ensembles de cellules que les scientifiques appellent « bourgeons gustatifs ».

C'est grâce à eux que tu fais la différence entre le goût du jambon et celui du chocolat ! Ta langue participe en même temps à la transformation des aliments en bouillie. Pendant que tes dents écrasent efficacement la nourriture, ta langue ramène sans cesse les morceaux d'aliments sous tes dents pour qu'ils soient broyés encore plus finement. Un vrai travail d'équipe ! Lorsque la bouillie d'aliments est assez fine, ta langue se colle contre le palais pour boucher le conduit qui mène à ton nez. Tu es alors prête à avaler. En plus de ses rôles liés à l'alimentation, la langue intervient dans un tout autre domaine. Lequel ? Voici une petite anecdote qui te mettra sûrement sur la voie. Quand j'étais enfant, ma grand-mère répétait souvent que ma sœur et moi, nous avions la langue bien pendue. Elle voulait dire par là que nous étions de sacrés bavards ! Tu l'as bien compris, la langue tient une part active dans... la parole. Eh oui, sans elle, tu serais bien incapable de prononcer les différentes consonnes et voyelles. Essaie d'être attentive la prochaine fois que tu parleras. Tu sentiras que ta langue bute contre tes dents quand tu prononces les « d » et les « t », qu'elle se soulève quand tu articules un « g » et qu'elle ne bouge pas lorsque tu énonces les voyelles. Intéressant, non ?

À bientôt,

Génius

Monsieur Génius,
J'adore faire de la planche à roulettes.
Je saute dessus dès que je rentre de
l'école. J'aimerais savoir comment notre
corps fait pour bouger aussi bien?
Merci.
Olivier, 9 ans

Cher Olivier,

Le moindre mouvement de ton corps dépend
de tes muscles. Ces derniers sont faits de
millions de cellules qui forment les fibres
musculaires. Les fibres musculaires sont
capables de se contracter, ou de se serrer
si tu préfères. Ces contractions permettent
à ton corps de se tenir droit mais aussi
d'effectuer les actions nécessaires à la vie
comme respirer, plier les bras, manger... Ton
cœur est d'ailleurs un muscle très puissant!

Il doit pousser le sang avec beaucoup de force pour qu'il voyage partout et nourrisse toutes tes cellules. Le corps compte en tout 640 muscles. La plupart sont attachés aux os au niveau des articulations. Les articulations relient les os entre eux. Je te donne deux exemples : l'articulation du genou relie le tibia au fémur et l'articulation du coude unit l'humérus avec le cubitus... Ces articulations sont très importantes car ton corps bouge de façon harmonieuse grâce à elles. Essaie d'imaginer un instant que tu ne possèdes pas de genoux. Les os de tes jambes et de tes cuisses ne pourraient pas bouger et tu serais obligé de marcher les jambes toutes droites. Difficile, tu ne penses pas ? Toutes les articulations ne fonctionnent pas de la même manière. Ainsi, ton bras peut faire un tour complet dans ton épaule, alors que ton genou et ton coude ne peuvent plier que dans un seul sens.

Voyons ensemble les différentes composantes d'une articulation. Pour cela, je t'ai dessiné un schéma de la plus grande articulation du corps humain, celle du genou.

Muscle

Le FÉMUR est l'os de la cuisse.

Le CARTILAGE est une sorte d'os mou, élastique mais très résistant. En plus d'amortir les chocs, il permet aux os de glisser sans frotter l'un sur l'autre.

Le LIQUIDE SYNOVIAL est comme une huile qui empêche les os de frotter et qui évite l'usure du cartilage.

Les **TENDONS** sont des sortes de petites cordes très solides qui attachent les muscles aux os.

La **ROTULE** est un petit os plat qui bouge. Elle permet un meilleur fonctionnement de l'articulation.

Les **LIGAMENTS** sont, comme les tendons, des sortes de petites cordes qui maintiennent les os ensemble.

Le **TIBIA** est l'os avant de la jambe.

Maintenant, Olivier, tu sais tout sur le fonctionnement de ces articulations qui te permettent d'être un champion de la planche à roulettes.

Bien à toi,

professeur Génius

Ma chère Marie,

Lorsque j'avais ton âge, je croyais moi aussi
que mon cœur ressemblait à ceux qui sont
dessinés sur les cartes de la Saint-Valentin.
Ton cœur a en fait la forme et la taille de ton
poing. Ce n'est pas très gros! Chez un adulte,
le cœur mesure entre 10 et 12 centimètres de
hauteur, entre 8 et 9 centimètres de largeur
et 6 centimètres d'épaisseur. Il pèse environ

300 grammes, soit à peu près le poids d'un pamplemousse. Le cœur se trouve au milieu de la cage thoracique, bien entouré par les poumons. (Si tu veux savoir où se situe la cage thoracique, jette un coup d'œil à mon squelette de la page 11.) La partie supérieure du cœur est légèrement penchée vers la droite, de sorte que plus de la moitié se trouve du côté gauche du corps.

cœur

Malgré sa petite taille, le cœur est l'élément le plus actif de notre corps. C'est un muscle qui se contracte (il se serre, si tu préfères) environ 70 fois par minute. Cela signifie qu'il bat plus de 100 000 fois par jour! Sais-tu à quoi servent ces battements? Eh bien, ils propulsent le sang partout dans notre corps. Le sang est important car il apporte la nourriture et l'oxygène essentiels aux cellules. Voilà pourquoi il est extrêmement important de garder son cœur en bonne santé.

Maintenant que tu sais que le cœur est un muscle, quel serait, à ton avis, le meilleur moyen de le maintenir en bonne santé? Tu as bien compris! En faisant de l'exercice, bien sûr. Je te laisse sur ces quelques lignes. Je dois rejoindre mon ami Izin Spaice pour notre course à pied quotidienne.

À bientôt,

Génius

Cher professeur,

J'aimerais savoir à quoi sert la salive ?

Merci pour votre réponse.

Charles, 9 ans

Cher Charles,

À chacun de mes anniversaires, ma chère sœur me prépare un de ses desserts dont elle a le secret. Imagine un gâteau dont le cœur serait un fondant au chocolat et dont le sommet serait recouvert de crème chantilly et de poudre de cacao... Un vrai régal ! Quand je pense à ce magnifique gâteau, j'ai l'eau à la bouche ! Connais-tu l'expression « avoir l'eau à la bouche » ? Elle signifie « avoir très envie de quelque chose ». Pourquoi ? Parce que lorsque tu désires fortement un aliment, ta bouche produit plus de salive qu'en temps normal. Tu as donc plus d'eau dans la bouche ; c'est de là que vient cette expression. Tu vois, mon ami, la salive remplit plusieurs rôles importants. Avant tout, elle est essentielle lorsque tu manges. Elle entame la digestion grâce aux enzymes qu'elle contient. Les enzymes sont des substances chimiques qui accélèrent la transformation des aliments en bouillie. Ensuite, la salive permet aux papilles de bien détecter le goût de la nourriture. Te souviens-tu des papilles présentes sur la langue ?

J'en parlais à Bernadette précédemment.
Eh bien, elles ne repèrent les saveurs des aliments que lorsqu'ils sont sous forme liquide. C'est la salive qui se charge de rendre liquides les aliments. Elle intervient également dans d'autres domaines que celui de l'alimentation. Ainsi, en humidifiant l'intérieur des joues, la gorge, les dents et le palais, la salive facilite aussi la prononciation des mots.

À bientôt, mon grand,

Génius

Bonjour!

Dans le métro, j'ai vu un monsieur qui lisait un livre où il n'y avait rien d'écrit. Maman dit qu'il est aveugle mais qu'il arrive à lire avec une écriture qu'il touche. Pouvez-vous m'expliquer comment il fait?

Merci.

Hélène, 7 ans

Chère petite Hélène,

Ta maman a bien raison... Ce monsieur est capable de lire comme toi et moi. Il lit simplement une écriture différente. Cette écriture, appelée « braille », est constituée de caractères écrits avec des points qui forment des petites bosses. Pour le déchiffrer, les personnes aveugles glissent leurs doigts sur ces points et lisent ainsi les chiffres et les lettres.

Voici le mot « pêche » en braille. (Imagine que les petits points noirs sont des petites bosses et tu pourras comprendre ce qu'un aveugle sent sous le bout de ses doigts.)

Le braille a été inventé par le Français Louis Braille. Tu vois, Hélène, Louis Braille était lui-même aveugle depuis l'âge de trois ans. Lorsqu'il a mis en place cet ingénieux système de lecture en 1824, il venait d'avoir 15 ans ! C'était un brillant petit bonhomme... Comme les aveugles, nous sommes capables de sentir ces petits points en relief grâce à la très grande sensibilité de la peau. Contacts légers, pressions fortes, vibrations, douleur, températures douces, extrêmes, chaudes et froides... toutes ces informations sont dirigées vers le cerveau. Celui-ci les analyse et commande ensuite les réactions de notre corps (comme retirer sa main d'une surface brûlante, mettre un chandail pour se protéger du froid ou comprendre un mot écrit en braille). Je dois te préciser, Hélène, que souvent, lorsqu'une personne perd l'usage de ses yeux, elle devient beaucoup plus attentive à ce qu'elle entend, ce qu'elle touche, ce qu'elle sent et ce qu'elle goûte. Elle détecte ainsi, presque aussi rapidement qu'une personne voyante, l'approche d'une voiture, une personne qui change de place ou un plat qui brûle sur la cuisinière !

Je t'embrasse,
Ton Génius

Bonjour monsieur Génius,

J'aimerais savoir comment on voit? En fait, je sais que c'est grâce à nos yeux, mais comment est-ce qu'ils fonctionnent?

Tony, 11 ans

Bonjour Tony,

Nos yeux sont de véritables fenêtres sur le monde... Ces petits organes d'une grande beauté saisissent les formes, les couleurs et les mouvements. Cela te paraîtra sûrement très bizarre, mais tes yeux perçoivent en fait la réflexion de la lumière sur les objets que tu regardes. La réflexion, c'est le rebond d'un rayon de lumière sur un objet, un peu comme une balle qui rebondit sur le sol... C'est cette lumière qui, une fois analysée par le cerveau, te donne l'image des objets. Regarde l'illustration que j'ai récupérée dans mon Visuel. Elle te présente les différentes parties qui sont à l'intérieur de l'œil.

Le NERF
OPTIQUE

L'IRIS est la partie colorée
de l'œil. C'est un muscle qui, e
se contractant, détermine
l'ouverture de la pupille

La RÉTINE

La PUPILLE

Le CRISTALLIN

La lumière que renvoie un objet est captée
par la cornée. La cornée est une couche de
cellules, mince et transparente, située juste
devant l'iris et la pupille. Sa forme arrondie
dirige la lumière vers l'intérieur de l'œil.
Les rayons lumineux traversent ensuite la
pupille et atteignent le cristallin. Le cristallin
est un genre de petite loupe. En s'ajustant
grâce aux petits muscles qui l'entourent, il fait
en sorte que l'image de l'objet se reflète, à

l'envers, sur la rétine. La rétine est tapissée de deux types de cellules : les bâtonnets et les cônes. Les bâtonnets réagissent à une faible lumière et ils reconnaissent le noir, le blanc et les différents gris. Les cônes, pour leur part, fonctionnent en pleine lumière et captent les couleurs. Ces cellules convertissent la lumière qu'elles reçoivent en signaux. Ces derniers voyagent jusqu'au cerveau en empruntant le nerf optique. C'est au tour du cerveau de travailler, maintenant ! Il analyse le signal et le transforme en une image de l'objet à l'endroit, en couleur et tout en volume... Génial, n'est-ce pas ?

Tu sais, Tony, en plus de nous permettre de voir, les yeux sont le reflet de nos émotions, comme la surprise, l'étonnement ou la peur. Ce n'est pas pour rien qu'on les qualifie si joliment de miroirs de l'âme !

Génius

> Cher professeur,
>
> J'aimerais savoir pourquoi on a deux oreilles et pas seulement une seule grande oreille?
>
> Merci.
>
> Jeanne, 10 ans

Bonjour Jeanne,

Tu me poses là une question bien amusante. Qui sait? Peut-être qu'avoir une seule grande oreille sur la tête serait très efficace. Mais je ne peux m'empêcher de penser que ça ne serait pas très pratique, surtout pour enfiler un chapeau! Trêve de plaisanterie! En fait, Jeanne, avoir deux oreilles est très utile. Je t'explique. Comme elles sont éloignées l'une de l'autre d'une quinzaine de centimètres, nos oreilles perçoivent les sons de manière un peu décalée. Ce petit décalage permet au cerveau de déterminer d'où vient le son et d'évaluer la distance qui nous en sépare de façon très précise. Nous pouvons ainsi aisément prévenir les dangers de l'environnement qui nous entoure. Prenons un exemple. Avant de traverser la rue, tu regardes à droite et à gauche. Tu écoutes aussi ce qui se passe. Comment sais-tu, sans regarder, que la voiture que tu entends approche sur ta gauche? C'est tout simple! Ton oreille gauche perçoit le grondement du moteur de la voiture une fraction de seconde plus tôt que l'oreille droite. Elle entend aussi le son un peu plus fort. Ces toutes petites différences d'informations suffisent au cerveau pour situer précisément la provenance des sons. Avec ces informations en poche, aimerais-tu toujours n'avoir qu'une seule oreille?

Bien à toi,

Ton ami Génius

Monsieur le professeur,

J'aimerais savoir pourquoi mes dents tombent? Merci d'avance.

Julien, 7 ans

Bonjour Julien,

Je constate que quelques-unes de tes petites dents sont tombées il y a peu! J'aime beaucoup la jolie bouche trouée

que cela te fait! Mais revenons à ta question... Les enfants possèdent 20 dents qu'on appelle « dents de lait ». À partir de l'âge de six ans, ces petites dents commencent à tomber... Si tu as la bouche pleine de trous, c'est parce que les dents de lait laissent place à des dents plus grosses. En fait, elles se font pousser dehors! Ces nouvelles dents seront tes 32 dents adultes, celles que tu garderas toute ta vie. Ces dernières doivent mastiquer la nourriture pendant plusieurs dizaines d'années. Alors, elles ont besoin d'être très résistantes, tu t'en doutes bien! Les dents sont donc recouvertes de la substance la plus dure du corps, l'émail. Malgré leur grande solidité, elles ont aussi besoin de beaucoup d'attention... Voilà pourquoi il est très important de les brosser après chaque repas! Tu leur assures ainsi une longue vie en bonne santé.

Voici une illustration qui te montrera de quoi est faite une dent.

La COURONNE est la partie visible de la dent. Elle est recouverte par l'émail.

La GENCIVE

Le COLLET est la région de la dent qui se trouve entre la racine et la couronne.

La RACINE de la dent s'étend sous le collet.

L'OS de la mâchoire

Les VAISSEAUX SANGUINS (en rouge et bleu) acheminent le sang qui transporte la nourriture nécessaire aux cellules de la dent.

Le NERF (en jaune) envoie les informations (comme le chaud ou le froid) au cerveau.

Bonjour professeur,

Ma petite sœur Ludmilla me demande sans arrêt à quoi servent les poils que nous avons tout autour des yeux. Je ne sais pas quoi lui répondre... Pouvez-vous nous éclairer?

À bientôt.

Éléonore, 9 ans

Chère Éléonore et chère Ludmilla,

Vos yeux sont très précieux! Grâce à eux, vous pouvez admirer la beauté d'un paysage, choisir la couleur de votre pantalon et regarder vos livres d'images. Mais ils sont très sensibles! Il faut donc les protéger des petites attaques de l'environnement. Pour cela, le corps s'est doté de protections efficaces, comme ces fameux poils autour de l'œil. Il s'agit des cils et des sourcils. Les cils piègent les poussières avant qu'elles ne touchent l'œil. En même temps, ils filtrent une partie des rayons nocifs du soleil (les ultraviolets).

Quant aux sourcils, ils empêchent la sueur de ton front de couler dans tes yeux. Pourquoi ? Parce que quand elle coule, la sueur ramasse les impuretés qui sont sur la peau et dans l'air. Ces impuretés sont très irritantes pour l'œil...

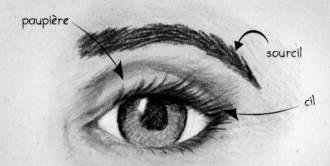

paupière

sourcil

cil

En plus de ces deux barrières poilues, l'œil est protégé par les larmes. Elles sont fabriquées continuellement par des glandes situées derrière les paupières, juste au-dessus de l'œil. Les larmes nettoient la surface de l'œil et détruisent les microbes grâce à une substance spéciale qu'elles contiennent. La paupière étale les larmes à la surface de l'œil, comme un véritable essuie-glace !

Saviez-vous que nos yeux clignent en moyenne 3 ou 4 fois par minute ? À ce propos, si vous suivez mon savant petit calcul ci-dessous, vous en arriverez à une conclusion assez surprenante...

Considérons que vous dormez 10 heures par nuit. Cela signifie que votre journée dure 14 heures.

Si on compte 4 battements de paupière par minute, alors il y a 3360 battements en 14 heures (ou 840 minutes).
Un battement de paupière dure environ 1/3 seconde (0,3333 seconde), alors 3360 battements durent environ 1120 secondes.
1120 secondes = 18 minutes et 40 secondes.

Cela signifie que même éveillées, vous passez 18 minutes et 40 secondes par jour les paupières fermées !

Bien à vous, petites curieuses,

Génius

Bonjour prof!
Pourquoi est-ce qu'on pue
des pieds?

Martine, 8 ans

La plupart du temps, les pieds sentent mauvais lorsqu'ils ont beaucoup transpiré, et ce, pendant longtemps. Il en est de même pour l'odeur sous les bras, tu sais, Martine... Mais sais-tu ce qu'est la transpiration? La transpiration est un processus qui permet au corps de refroidir lorsqu'il a trop chaud. Vois-tu, pour qu'il fonctionne bien, ton corps doit conserver à tout prix une température de 37 °C. C'est pour cela qu'il faut s'habiller chaudement l'hiver pour se réchauffer... Au contraire, s'il a trop chaud, le corps doit abaisser sa température. Pour cela, il fabrique un liquide, la sueur, qu'il élimine par les pores de la peau. En séchant, la sueur rafraîchit le corps.

La sueur toute seule n'a pas d'odeur. Or, des milliers d'organismes microscopiques sont présents sur ta peau. Ce sont des bactéries. Les substances de la sueur sont, pour elles, un véritable festin. Ces bactéries s'empiffrent et rejettent ensuite des déchets. Ce sont ces déchets qui dégagent cette odeur si désagréable! Pourquoi sentons-nous plus sous les pieds et les bras qu'ailleurs? Parce que ces fameuses bactéries adorent les endroits renfermés (comme les dessous de bras, les pieds...). Elles s'y retrouvent en plus grand nombre qu'ailleurs. Les déchets de bactéries y sont beaucoup plus nombreux et donc beaucoup plus odorants... Pour empêcher cette odeur de parvenir à ton nez et à celui de tes voisins, il suffit de te laver régulièrement. Car s'il y a une chose que les bactéries n'aiment pas, c'est le savon! Celui-ci les détruit sans leur laisser de chances...

Génius

Bonjour monsieur Génius,
J'aimerais savoir pourquoi toutes nos
dents n'ont pas la même forme?
Catherine, 10 ans

Chère Catherine,

Nos dents sont de petits outils indispensables
pour amorcer la digestion! Elles coupent,
déchiquètent et broient la nourriture pour
mettre en bouillie les aliments avant qu'ils
n'arrivent dans l'estomac. Chacune joue,
selon son emplacement, un rôle bien précis
dans ce broyage. Je t'ai collé sur la page
ci-contre une petite fiche élaborée par la
clinique dentaire de mon quartier. Je trouve
qu'elle illustre très bien les différents types de
dents d'adulte ainsi que leurs particularités.

Les incisives sont des dents tranchantes qui coupent les aliments. Elles sont au nombre de 8 (4 sur chaque mâchoire).

Les canines sont pointues et servent à déchirer la nourriture. Elles sont au nombre de 4 (2 sur chaque mâchoire).

Les prémolaires possèdent une surface aplatie capable de broyer les aliments. Elles sont au nombre de 8 (4 sur chaque mâchoire).

Les molaires sont solides et présentent une large face permettant de bien mâcher les aliments. Elles sont au nombre de 12 (6 sur chaque mâchoire).

 Clinique dentaire Carie Ray-Paré

Tu as remarqué qu'il y avait 32 dents ?
Bravo, je te félicite ! Il s'agit donc ici de
la dentition d'un adulte. Les enfants qui ont
encore leurs 20 petites dents de lait ont les
mêmes types de dents que les adultes.
Seules les molaires sont absentes.

Bien à toi,

Ton Génius

Ma maman me dit souvent que si je
ne mange pas, je ne grandirai pas.
Est-ce que c'est vrai ?
Merci.
Hugo, 8 ans

Mon cher Hugo,

Grandir est une aventure qui demande beaucoup de travail à ton corps! Quand un nouveau petit être humain vient au monde, il mesure à peine 50 centimètres et pèse entre 3 et 4 kilogrammes... Son développement est loin d'être terminé! C'est pour cela que les années qui suivent la naissance sont des étapes importantes : ce petit être doit grandir pour atteindre sa taille adulte vers l'âge de 21 ans. Pendant cette croissance, le cerveau se développe, les poumons, le cœur et les autres organes grandissent, les dents de lait apparaissent puis tombent pour laisser la place aux dents adultes, les os s'allongent et se renforcent. Ensuite, vers 12 ans, arrive le temps de la puberté. Le corps de l'enfant se transforme pour prendre une forme adulte : les seins des filles poussent, des poils apparaissent, la voix change (on dit qu'elle mue). Tous ces changements exigent beaucoup d'énergie, tu sais.

5 ans, 108 cr

4 ans, 102 cm

2 ans, 86 cm

Écoute bien ta maman, mon petit Hugo.
Elle a raison de te conseiller de

manger car les aliments qui sont
dans ton assiette t'apportent des
éléments qui sont nécessaires à ta
croissance. Par exemple, le calcium
contenu dans les produits laitiers
renforce tes os et tes dents. Le
phosphore présent dans les
poissons aide les cellules de ton
cerveau à bien se développer.
La vitamine A des carottes
améliore ta vue en protégeant
ton cristallin et en nourrissant
ta rétine...

À bientôt,

Génius

Cher professeur,
Pourquoi le sang est-il rouge?
Rose, 7 ans

Chère Rose,

Le sang est composé en grande partie de plasma, un liquide jaunâtre dans lequel circulent un grand nombre de cellules. Les plus nombreuses sont les globules rouges. Leur rôle consiste à transporter l'oxygène et les nutriments (des aliments pour la cellule) dans tous les recoins du corps. Ce sont les globules rouges qui donnent sa belle couleur au sang! Voilà donc pour la réponse à ta question!

Tu dois aussi savoir, Rose, que des plaquettes et des globules blancs voyagent également dans le sang, aux côtés des globules rouges. Ils tiennent des rôles très importants! Les plaquettes permettent au sang de coaguler, ou de faire une croûte, lorsque tu te blesses. Ce petit bouchon forme une barrière qui empêche le sang de couler à l'extérieur du corps de manière trop abondante. Les globules blancs, quant à eux, sont impliqués dans la défense de l'organisme. Comment? Eh bien, ce sont eux qui s'attaquent aux virus et aux bactéries qui nous infectent.

Voilà pourquoi notre sang est si important : non seulement il nourrit l'organisme, mais en plus il le protège...

À bientôt,

Génius

Les GLOBULES ROUGES ont une forme aplatie. Ils ont une durée de vie de quatre mois.

Les GLOBULES BLANCS sont trois fois plus gros que les globules rouges.

Les PLAQUETTES ont une vie très courte (entre 5 et 10 jours). Elles sont trois fois plus petites que les globules rouges.

Sais-tu que, dans un corps adulte, 5 à 6 litres de sang circule dans les vaisseaux sanguins ?

Bonjour monsieur le professeur,

Pouvez-vous m'expliquer pourquoi ça ne fait pas mal quand maman me coupe les ongles?

Merci beaucoup.

Maud, 7 ans

Chère petite Maud,

Heureusement que ta maman te coupe les ongles régulièrement parce que sinon, tu aurais des ongles si longs que tu ne pourrais plus tenir ton stylo! Savais-tu que les ongles grandissent en moyenne d'un demi-centimètre par mois, et ce, tout au long de la vie? Ils poussent même plus vite en été qu'en hiver! L'ongle est une plaque dure, faite de cellules résistantes. À sa racine, les cellules se divisent continuellement. Ce faisant, elles repoussent les cellules plus vieilles vers l'extrémité de l'ongle. À mesure qu'elles avancent, les cellules se remplissent d'une substance dure, la kératine, et meurent. Si tu n'as pas mal quand ta maman te coupe les ongles, c'est parce que la partie qu'elle coupe est composée de cellules mortes. Quand on enlève des cellules mortes, ça ne fait pas mal!

L'ANNULAIRE

L'AURICULAIRE

T'es-tu déjà demandé, Maud, pourquoi nous avons des ongles? Cela remonte à bien longtemps... Nos ancêtres étaient, il y a quelques millions d'années, dotés de griffes. Elles leur servaient à gratter la terre, se battre ou encore à déchirer la nourriture. Au fil du temps, les êtres humains ont inventé des outils. Ils ont alors eu de moins en moins besoin de ces griffes. Petit à petit, elles ont rétréci pour devenir ce que nous portons aujourd'hui, nos ongles.

Le MAJEUR

L'ONGLE doit sa couleur rosée
au sang qui voyage dessous.

La LUNULE doit son nom à sa
forme blanche en demi-cercle qui fait
penser à une demi-lune.

La RACINE de l'ongle est
protégée par un repli de la
peau, la cuticule.

L'INDEX

Le POUCE

57

Mais attention! Les ongles sont encore bien utiles! Ils nous aident à réaliser des petits travaux de précision. La prochaine fois que tu enlèveras tes chaussures, sois attentive et tu remarqueras que, grâce à tes ongles, tu peux défaire les nœuds de tes lacets!

Amicalement,

Génius

MES RECORDS DU CORPS HUMAIN

- Les ongles des mains poussent plus vite que ceux des pieds.

- L'ongle du majeur est celui qui grandit le plus rapidement.

- L'ongle de l'annulaire est l'ongle qui pousse le plus lentement.

Tu dois d'abord savoir, mon cher Etienne, que la peau produit une substance colorée que l'on appelle mélanine. La mélanine se retrouve sous forme de petits grains dont la couleur varie du jaune au noir, en passant par le brun. La quantité et la couleur des grains de mélanine varient selon les individus. Voilà pourquoi il y a tant de jolies frimousses de couleurs différentes partout sur la planète!

La différence entre ton ami Julien et toi, c'est que sa peau fabrique plus de mélanine que la tienne. C'est aussi simple que cela! Savais-tu, Étienne, qu'en plus de donner à la peau sa couleur particulière, la mélanine protège du Soleil? La mélanine bloque, en effet, les rayons ultraviolets du Soleil et protège ainsi les cellules de leurs effets nocifs. Une dernière chose... L'été, lorsque tu t'exposes au Soleil, les cellules de ta peau se protègent en produisant de la mélanine en plus grande quantité. Les cellules se fabriquent un vrai petit bouclier! C'est le «bronzage». Ainsi, plus la peau est foncée (les cellules sont remplies de mélanine), plus elle est protégée du Soleil. Mais plus la peau est claire (les cellules produisent peu de mélanine), moins elle est préservée des effets nocifs des rayons solaires. À propos! La protection qu'offre la mélanine n'est pas suffisante pour protéger la peau des rayons nocifs du Soleil. Alors pense bien à te tartiner de crème solaire lorsque tu t'exposeras au Soleil cet été. Elle te protégera efficacement de ses brûlures !

J'espère que mon explication te satisfait ! Ne manque pas de saluer ton ami Julien de ma part.

Génius

Avant, les cheveux de mes grands-parents étaient bruns. Maintenant, ils sont tout blancs. Pouvez-vous me dire pourquoi les vieilles personnes attrapent les cheveux blancs?

Merci professeur.

Justine, 9 ans

Chère Justine,

Bruns, roux, blonds, châtains... Tu l'as sûrement remarqué, la couleur des cheveux est d'une étonnante diversité. Cette diversité est causée par une substance identique à celle qui colore la peau et que j'ai décrite à Étienne dans la question précédente. Comme pour la peau, c'est la quantité et la couleur des grains de mélanine qui déterminent la couleur des cheveux. Tu vois, Justine, il y a quelques années, mes cheveux étaient châtains.

Et puis, comme tes grands-parents, des cheveux blancs sont apparus, petit à petit, et ont fini par prendre toute la place. Comment nos cheveux changent-ils de couleur? Je t'explique! Les cheveux sont fabriqués par le follicule pileux. C'est un ensemble de cellules qui sont implantées sur le cuir chevelu. Dans ce follicule pileux, certaines cellules produisent la mélanine. Celle-ci est absorbée par d'autres cellules, celles qui formeront le cheveu. Au fil des ans, ces cellules qui travaillent depuis bien longtemps commencent à être usées et fatiguées. Elles produisent de moins en moins de mélanine et le cheveu se colore de moins en moins. Quand il ne contient plus de mélanine, le cheveu prend la couleur blanc-gris que tu as vue sur la tête de tes grands-parents.

Amicalement,

Ton « vieux » Génius

Bonjour professeur,
J'ai souvent le hoquet en classe. C'est très gênant parce que ça fait beaucoup de bruit! Pouvez-vous me donner des « trucs » pour m'en débarrasser rapidement? Aussi, pouvez-vous m'expliquer pourquoi j'ai le hoquet?

Merci!

Lucien, 10 ans

Cher Lucien,

J'imagine bien qu'avoir le hoquet te dérange pendant la classe, même si je ne peux m'empêcher de penser que ces petites crises doivent bien faire rire tes petits amis. Est-ce que je me trompe? Voici, petit coquin, trois solutions rigolotes (mais parfois efficaces!) pour faire passer ton hoquet bien vite. Je les tiens de ma chère grand-mère...

- Retiens ta respiration le plus longtemps possible (ne le fais pas plus de trois fois de suite).

- Bois un grand verre d'eau
  fraîche, d'un seul coup et
  sans respirer.

- Bois un grand verre d'eau
  rapidement et penché vers l'avant.

Mais pourquoi ces crises de
hoquet se déclenchent-elles ? Tu peux déjà
te rassurer, Lucien, le hoquet est un petit
trouble très courant qui touche les tout-
petits comme les adultes jusqu'aux très vieilles
personnes. Ce n'est pas grave du tout, c'est
juste fatigant, tu en sais quelque chose ! Ce
trouble naît après avoir bu de grandes
quantités de liquide, avalé un trop gros repas
ou mangé trop rapidement. L'estomac gonfle
et vient « chatouiller » le diaphragme. Le
diaphragme est un grand muscle situé entre
les poumons et l'estomac. Il joue un rôle très
important dans le processus de respiration.
Normalement, il permet aux poumons de

se remplir d'air quand il se contracte et
de se vider quand il se détend. Mais quand
l'estomac le chatouille, ce grand muscle réagit
en se contractant et en se décontractant de
manière incontrôlée. Ces réactions entraînent
l'évacuation de jets d'air qui, pour rejoindre
l'extérieur, passent par la trachée, le larynx
et le pharynx. (Pour repérer ces différentes
parties, tu peux t'aider du schéma que je
t'ai dessiné sur la page 67.) En passant
de la trachée au larynx, l'air fait vibrer
deux petits muscles fins, les cordes vocales.
Cette vibration engendre le petit « hic »
caractéristique du hoquet. Savais-tu que le
nombre de « hic » du hoquet peut aller de
2 à 60 par minute, selon les individus ?

Bien à toi,

Génius

Les FOSSES NASALES reçoivent l'air inspiré et expiré.

Le PHARYNX fait communiquer les fosses nasales, la bouche et le larynx.

Le LARYNX achemine l'air vers la trachée.

La TRACHÉE est un long tube qui achemine l'air jusqu'aux poumons.

Les CORDES VOCALES

Les POUMONS

Le CŒUR

Le DIAPHRAGME

L'ESTOMAC

Monsieur Génius,

Est-ce que c'est normal que mon rond noir dans l'œil, il change de taille?

Florence, 8 ans

Chère Florence,

Rassure-toi, tes yeux fonctionnent de manière parfaitement normale! D'ailleurs si tes «ronds noirs» ne variaient pas de taille, il faudrait s'inquiéter! Ces «ronds noirs» s'appellent pupilles. Ils sont l'ouverture par laquelle la lumière entre dans l'œil. Faisons ensemble une petite expérience. Pour cela, va chercher une lampe de poche... Ça y est, tu l'as? Place-toi maintenant devant le miroir de ta salle de bain et éteins la lumière. Allume ta lampe et observe la taille de tes pupilles dans la glace. Elles sont larges, n'est-ce pas? Maintenant, allume la lumière de la salle de bain et observe à nouveau tes pupilles. Elles ont rétréci! Voyons pourquoi... Comme je l'expliquais à Tony, nos yeux voient les objets qui les entourent en captant la lumière qui se reflète sur ces mêmes objets. C'est pour cela que nous ne les voyons pas dans le noir! Lorsqu'il fait sombre, il y a peu de lumière. L'œil doit alors s'adapter. Pour cela, il ouvre grand sa pupille pour capter le maximum de lumière. Quand il y a beaucoup de lumière, l'œil rétrécit le diamètre de la pupille pour éviter d'être ébloui. Astucieux, non?

pupille en pleine lumière

pupille dans l'obscurité

Cette gymnastique de la pupille est possible grâce à l'iris (il s'agit de la partie colorée de l'œil). L'iris est un muscle. Lorsqu'il se contracte, il ouvre la pupille; lorsqu'il se détend, il rétrécit son diamètre.

Génius

Cette question m'a donné une idée ! J'ai fabriqué un visage avec des yeux, un nez, des oreilles découpés ici et là, dans différents magazines. Amusant, non ?

Bonjour professeur,

Ma tante Sabine, c'est la sœur de mon papa, me dit souvent que j'ai le nez retroussé de ma maman et les yeux noisette de mon papa. Comment ça se fait? Merci pour votre réponse.

Gilles, 9 ans

Cher petit Gilles,

Ma grand-mère était une très grande cuisinière. Chaque repas qu'elle nous préparait était un véritable régal. Je me souviens que lorsqu'elle cuisinait, elle s'aidait d'un grand livre de recettes. Elle m'expliquait que pour faire un souper réussi, il fallait suivre les instructions de la recette à la lettre. Quel rapport y a-t-il entre la cuisine et ta question? J'y viens! Pour te fabriquer, toi, Gilles, il a fallu que deux cellules spéciales

de tes parents se rencontrent et fusionnent :
un spermatozoïde, fabriqué par l'homme, et
un ovule, fabriqué par la femme. L'ovule
et le spermatozoïde contiennent, comme
toutes les cellules du corps, le code de
fabrication de tous les êtres humains. Il
s'agit de l'ADN (c'est l'abréviation d'Acide
DésoxyriboNucléique). L'ADN, tu vois, est
un peu comme ce grand livre de cuisine
qu'utilisait ma grand-mère... Il porte sur lui
un grand nombre de recettes ! Chacune des
recettes donne les informations nécessaires

pour fabriquer les yeux, la peau, les cheveux, les pieds mais aussi tous les organes qui sont à l'intérieur de nous. Ces recettes, les scientifiques les appellent « gènes ». Eh bien, lorsque le spermatozoïde de ton papa et l'ovule de ta maman ont fusionné, ils ont mélangé leur ADN (et donc leurs recettes !). Cette fusion a abouti à la formation d'un œuf qui, en grandissant pendant neuf mois, est devenu bébé Gilles ! Voilà pourquoi tu leur ressembles tant !

Génius

Ma chère Caroline,

Les bruits et les odeurs du corps font, depuis longtemps, sourire les gens, et encore plus les enfants! Ils les gênent aussi... Il faut bien l'avouer, les pets, que l'on appelle aussi « flatulences », sont quelque peu embarrassants lorsqu'ils se manifestent en public. Ce phénomène est pourtant très naturel, tu sais... Sache, Caroline, que ces gaz sont le signe que ton système digestif fonctionne normalement! Tout commence lorsque tu avales ton repas. Celui-ci descend dans ton estomac où il est réduit en bouillie. Cette bouillie poursuit son chemin dans ton corps. Elle traverse d'abord l'intestin grêle. C'est là que la plus grande partie des aliments est digérée. Quelques heures plus tard, ce qui reste de la bouillie atteint le gros intestin (le côlon, pour les scientifiques). Tu dois savoir que des milliards de bactéries vivent de façon harmonieuse dans le côlon. Ce sont de sacrées gloutonnes ! Elles dévorent les aliments qui n'ont pas été entièrement digérés dans l'intestin grêle comme le pain, les produits laitiers et quelques légumes (choux, radis, brocolis, oignons, haricots...). Lorsque ces bactéries se nourrissent, elles rejettent des gaz qui se retrouvent emprisonnés dans le gros intestin. Quand ce dernier est trop plein, il expulse les gaz : ce sont les pets ! Normalement, les pets sont des gaz inodores... Mais, parfois, certains restes d'aliments, que les bactéries dévorent, provoquent la formation de gaz malodorants. Ce sont les pets puants que tous nous redoutons !

Bien à toi,

Génius

De : Gabriel
Sujet : Les empreintes digitales
Date : 30 juillet 2006
À : professeur Génius

Cet été, j'ai visité avec ma famille l'exposition «Autopsie d'un meurtre» à Québec. Nous devions découvrir qui était l'assassin d'une dame en analysant des indices et des témoignages de personnes. J'ai appris beaucoup de choses sur le travail des policiers et des personnes qui travaillent dans les laboratoires. C'était vraiment très intéressant ! Mais je n'ai pas bien compris ce qu'étaient les empreintes digitales. Pouvez-vous me l'expliquer ?

Merci professeur.

Gabriel, 9 ans

Cher Gabriel,

J'ai moi aussi visité cette exposition lorsqu'elle se tenait à Montréal. J'étais accompagné de mon ami le professeur Trukégadgette et je t'avoue que nous avons eu beaucoup de plaisir à essayer de deviner qui avait tué cette pauvre femme. Au fait, ta famille et toi, avez-vous découvert qui était l'assassin ?

Mais revenons à ta question... Observe
bien le bout de tes doigts. Tu vois toutes
ces lignes fines qui dessinent des motifs sur
la peau? Ce sont tes empreintes digitales.
Il faut que tu saches que ces empreintes
sont uniques. Personne d'autre ne porte les
mêmes! Les cellules de la peau produisent
une substance huileuse, le sébum. À cause de
ce sébum, nous laissons tous nos empreintes
digitales sur les objets que nous touchons.
Fais-en l'expérience! Prends un verre
propre et pose-le près d'une fenêtre.
Regarde attentivement... tu aperçois
des traces? Ce sont les empreintes de tes
doigts. Eh bien, Gabriel, lorsqu'un crime a
lieu, la police recherche ces petites traces.
Lorsqu'elle en trouve, elle cherche à qui elles
appartiennent. Comment fait-elle? Lorsque
la police arrête un criminel, elle prélève ses
empreintes digitales. Elle les enregistre dans
un fichier d'ordinateur. Grâce à ce fichier, la

police peut comparer les empreintes qu'elle a prélevées sur la scène du crime avec celles qui sont enregistrées dans ce fichier informatique. De cette façon, la police peut rapidement identifier les coupables! Mais ce n'est pas tout. On croit que les sillons des empreintes digitales, aidés de la sueur, donnent aux doigts une meilleure adhérence sur les objets. Un peu comme les rainures de tes semelles permettent à tes chaussures de mieux « s'agripper » au sol.

À bientôt, cher Gabriel, et salue ta famille pour moi!

Génius

Chère Mila,

Difficile de compter nos cheveux tellement ils sont nombreux... Chaque être humain posséderait entre 100 000 et 150 000 cheveux perchés sur son crâne (sauf les chauves, bien sûr!). Imagine un petit carré, sur le cuir chevelu, dont les côtés mesurent un centimètre. Eh bien, il y a, à l'intérieur, près de 300 cheveux! Il faut que tu saches, Mila, que chaque fois qu'un cheveu est trop vieux, il tombe. En fait, chaque cheveu reste sur la tête entre 3 et 6 ans. Ensuite, il tombe et il est remplacé par un nouveau. Comme je l'expliquais plus tôt à Justine, le cheveu est fabriqué par le follicule pileux.

Au fur et à mesure que ce follicule fabrique des cellules, le cheveu pousse. Tu vois, Mila, lorsque ta maman te coupe les cheveux, elle n'enlève qu'une vieille partie du cheveu. Cela n'empêche pas le follicule de continuer à fabriquer le même cheveu. C'est la raison pour laquelle tes cheveux « repoussent ». Tu me suis ?

Tous ces cheveux sont bien utiles car ils protègent notre tête des rayons nocifs du soleil, du froid et des blessures.

Au revoir, Mila. Je te laisse sur ces quelques chiffres « chevelus ».

Le cheveu pousse de 0,3 millimètre par jour (c'est moins que la moitié d'un millimètre !).

En moyenne, trois millions de cheveux poussent au cours d'une vie.

L'ensemble des cheveux, s'ils sont en santé, pourrait porter un objet de 10 tonnes. Cela représente le poids de 10 voitures moyennes ! Mais notre cuir chevelu ne résisterait pas...

Entre 50 et 100 cheveux tombent en moyenne chaque jour.

Environ 16 kilomètres de cheveux sont produits chaque année par les follicules pileux de notre cuir chevelu.

Cher Nicolas,

Le corps est une machine extraordinaire composée de milliards de cellules qui travaillent sans relâche. Comme toutes les machines, le corps produit des déchets dont il doit se débarrasser. Il le fait sous la forme d'urine ou, si tu préfères, de pipi. L'urine est en grande partie composée d'eau. Mais on y retrouve aussi plusieurs substances dont les cellules n'ont pas besoin. Par exemple, l'urée. C'est un déchet qui provient de la digestion des aliments comme la viande, les œufs ou le poisson. Savais-tu, Nicolas, que c'est l'urée qui donne à l'urine son odeur caractéristique? Ce sont les reins qui sont responsables de la production de l'urine. Ils font partie de l'appareil urinaire. Ce dernier se compose principalement des reins, des uretères, de la vessie et de l'urètre. Tu peux facilement situer chacune de ces parties en jetant un coup d'œil à mon dessin ci-dessous.

Les VAISSEAUX SANGUINS acheminent le sang jusqu'aux reins et récupèrent le sang filtré.

Les REINS filtrent la totalité de ton sang toutes les 40 minutes.

Les URETÈRES

La VESSIE

L'URÈTRE évacue l'urine hors de la vessie.

Chaque être humain possède deux reins.
Ils ressemblent un peu à de gros haricots
rouges. Chez un adulte, les reins mesurent
environ 10 centimètres de long (les tiens sont
un peu plus petits...). Chaque rein possède
des millions de petites passoires qui filtrent
le sang pour le débarrasser des déchets et
du surplus d'eau. Une fois nettoyé, le sang
poursuit son voyage dans le corps tandis
que ce qui a été filtré est transformé en
urine. L'urine emprunte ensuite le chemin des
uretères pour se déverser dans la vessie.
Lorsqu'elle est bien remplie, la vessie envoie
un signal au cerveau pour dire : « Je suis
pleine ! Il faut faire un tour à la toilette ! »
C'est généralement le moment que tu choisis
pour aller faire pipi.

Bien à toi,

Génius

Bonjour professeur,
Qu'est-ce que le nombril ? Merci
pour votre réponse.
Pascale, 7 ans

Chère Pascale,

Il y a de nombreuses années, lorsque nous partions en vacances au bord de la mer avec mes parents, ma sœur et moi ne pouvions nous séparer de nos masques et de nos tubas. C'était une véritable fête de les enfiler ! Sans trop nous éloigner du bord, nous pouvions admirer les nombreux poissons colorés qui nageaient près des rochers, ou encore les colonies d'algues qui tapissaient le fond... Grâce à notre tuba, nous passions de longs moments la tête dans l'eau sans avoir à la relever pour respirer. Ce petit tube qui conduit l'air jusqu'à notre bouche est vraiment une belle invention !

Tu te demandes sans doute où je veux en venir... J'y arrive. Tu sais, pendant tout le temps où le bébé grandit dans le ventre de la maman, il a besoin, comme nous, de respirer et de manger. La maman ne peut pas lui donner le biberon puisqu'il est sagement caché dans son ventre. Heureusement, le ventre de bébé est relié à celui de sa maman par une sorte de tuba. Ce « tuba » porte le nom de cordon ombilical. Beaucoup d'éléments passent par ce petit tuyau pour faire vivre le bébé. Il y a l'oxygène, qui est essentiel à la vie et, bien sûr, les aliments. Mais attention, Pascale ! Les aliments que mange la maman ne passent pas directement dans le cordon ombilical ! Ils doivent d'abord être digérés. Seuls les éléments importants, comme les nutriments (les aliments de la cellule), les vitamines et les minéraux, empruntent le cordon ombilical pour nourrir le bébé. Les déchets du bébé, comme l'urine, sont aussi évacués par ce cordon.

Une fois que le bébé est sorti du ventre de la maman, il peut respirer tout seul. Il est nourri par la bouche. Le cordon ombilical devient alors inutile et le médecin le coupe. Rassure-toi, Pascale, cela ne fait pas du tout mal au bébé... Le bout du cordon ombilical qui a été coupé laisse une petite cicatrice : c'est le nombril, aussi appelé ombilic. Tu vois, Pascale, le nombril est, en quelque sorte, un petit souvenir du tuba qui t'a nourrie et oxygénée pendant les neuf mois où tu étais cachée dans le ventre de ta maman.

cordon
ombilical

Amicalement,

Génius

Cher Félix,

Il est normal que la peau de ta grand-mère forme des plis un peu partout sur son corps! C'est le déroulement normal de la vieillesse, mon ami...

Mais voyons pourquoi la peau de ta grand-mère plisse. Vois-tu, Félix, certaines cellules de la peau fabriquent des substances qui rendent la peau souple et élastique. Ce sont le collagène et l'élastine. Grâce à ces deux substances, ta peau reprend facilement sa place après un sourire ou une grimace! Au fur et à mesure que nous vieillissons, les cellules présentent des signes de fatigue. Pourquoi? Eh bien, ces cellules travaillent sans interruption depuis bien longtemps! C'est normal qu'elles soient un peu fatiguées... C'est pour cette raison qu'elles produisent de moins en moins de collagène et d'élastine. Petit à petit, la peau devient moins souple et moins élastique. C'est à ce moment que les rides apparaissent.

Tu sais, Félix, il n'y a pas que les cellules de la peau qui donnent des signes de fatigue à partir d'un certain âge. Vers 60 ans, les muscles et les articulations perdent aussi de la souplesse. Les os se fragilisent et risquent de se fracturer plus facilement. Les cheveux blanchissent (j'en ai déjà parlé à Justine), la vue diminue... Rassure-toi, tout cela ne se produit pas du jour au lendemain! Et cela n'empêche pas plusieurs personnes âgées de demeurer actives et vives d'esprit bien après 80 ans!

Bien à toi,

Génius

Le papa de mon ami Marco n'a pas de cheveux. C'est la même chose pour mon grand-père. Pourquoi?
Merci pour votre réponse.

Mégane, 9 ans

Tu sais, Mégane, la perte des cheveux est un phénomène assez répandu, chez les hommes surtout... Souvent, c'est à cause de la vieillesse. Vers 50-60 ans, les cellules qui fabriquent les cheveux commencent à être fatiguées. Petit à petit, elles diminuent leur fabrication puis s'arrêtent de travailler. C'est pour cela que les grands-pères deviennent souvent chauves ou dégarnis. Mais parfois aussi, des hommes perdent leurs cheveux alors qu'ils n'ont que 30 ou même 20 ans! On ne peut pas, bien sûr, attribuer ce phénomène à la vieillesse... Alors pourquoi certains hommes perdent-ils leurs cheveux jeunes et pas d'autres? Je t'explique...

Il arrive que la perte de cheveux soit provoquée par l'action d'hormones. Les hormones sont des substances chimiques fabriquées par le corps et qui voyagent dans le sang. Elles visitent tous les recoins du corps pour effectuer toutes sortes de tâches. La testostérone est l'hormone responsable de la pousse des poils entre 12 et 18 ans, au moment de la puberté. Mais ce qui est étrange, c'est que cette même hormone serait aussi responsable de la chute des cheveux! En effet, lorsque la puberté est terminée, la testostérone a, chez certains hommes, une influence sur la durée de vie du cheveu. Elle la raccourcit... Cette diminution mène peu à peu à la mort du follicule pileux qui fabrique le cheveu. Quand tous les follicules pileux meurent, alors on devient chauve...

Je t'embrasse bien fort, Mégane.

professeur Génius

Bonjour prof!
Pourquoi est-ce que je dois
fermer les yeux quand je dors?
Nathan, 7 ans et demi

Mon cher petit Nathan,

Jouer au soccer, monter les escaliers, parler, réfléchir... Toutes ces actions te font dépenser beaucoup d'énergie dans la journée! Le sommeil permet donc à ton corps, et plus particulièrement à tes muscles, de se reposer et de se détendre... Grâce à ce repos, tu peux commencer la journée suivante en pleine forme! Le muscle qui tient ta paupière ouverte n'échappe pas à ce repos! Lorsqu'il se relâche, il laisse tomber la paupière sur tes yeux. Voilà pourquoi tes yeux se ferment lorsque tu t'endors... La paupière fermée protège aussi l'œil et évite qu'il sèche. Il y a tout de même deux muscles qui ne se

relâchent pas tout
à fait au cours de ta
nuit. As-tu une idée de
quels muscles il s'agit ? Ce
sont le cœur et le diaphragme.
Rappelle-toi ! Le diaphragme est le
muscle qui te permet de respirer. Ces
deux muscles tiennent des rôles tellement
importants dans le fonctionnement du corps
qu'ils ne peuvent pas se relâcher totalement !
Ainsi, le cœur continue de battre pour faire
voyager le sang dans ton corps, mais au
ralenti. Le diaphragme, pour sa part, se
contracte puis se détend moins souvent. Tu
respires alors plus lentement.

À bientôt, petit curieux ! J'attends tes
nouvelles questions avec impatience...

professeur Génius

Index

────────•ABCDE•────────

ADN 72, 73

articulation 21, 22, 23, 89

bactéries 45, 53, 75

cage thoracique 11, 25

cellules 6, 7, 8, 9, 15, 17, 34, 35,
    55, 56, 60, 63, 72, 73, 88,
    90, 91

cerveau 7, 11, 32, 33, 35, 36,
    37, 49, 84

cheveux 62, 63, 79, 80, 81, 89,
    90, 91

cils 41, 42

cœur 7, 11, 20, 24, 25, 26, 51, 92

cordon ombilical 86, 87

cristallin 34

dents 12, 18, 19, 38, 39, 46, 47,
    48, 50

dents de lait 38, 39, 48, 50

diaphragme 65, 67, 92

émail 12, 39

empreintes digitales 76, 77, 78

estomac 65, 66, 67, 74

────────• FGHIJ •────────

gènes 73

globules blancs 53, 54

globules rouges 52, 53, 54

goût 17

hormone 91

iris 34, 69

────────•KLMNO •────────

langue 17, 18, 19

larmes 42

mélanine 59, 60, 62, 63

moelle osseuse 15, 16

muscles 7, 20, 21, 22, 23, 26, 34,
    65, 69, 89, 92, 93

nerf optique 34, 35

nombril 85, 87

ongle 55, 56, 57

oreilles 36, 37

os 10, 11, 12, 13, 14, 15, 21, 22, 23, 89

ovule 72, 73

────────• PQRST •────────

papilles 17, 28

peau 5, 7, 8, 9, 31, 59, 60, 61, 62,
    77, 88, 89

plaquettes 53, 54

poumons 7, 11, 25, 49, 65, 67

pupilles 34, 68, 69

reins 11, 82, 83, 84

rétine 34, 35

salive 27, 28, 29

sang 26, 52, 53, 54, 83, 84

sébum 9, 77

sourcils 41, 42

spermatozoïde 72, 73

sueur 8, 44, 45, 78

toucher 30, 31, 32

transpiration 44

────────•UVWXYZ•────────

uretères 83, 84

urètre 83

urine 82, 84

vessie 83, 84

yeux 32, 33, 34, 35, 41, 42, 68,
    69, 92, 93

Mes plus sincères remerciements...

À Martine Podesto, pour son soutien permanent et pour ses conseils précieux.

À Claire de Guillebon, pour m'avoir inspiré la meilleure façon de répondre simplement aux enfants.

À Anouk Noël pour ses merveilleux conseils de dessin. À Manuela Bertoni et à Alain Lemire, pour leurs délicats coups de crayons.

À Josée Noiseux et Émilie Corriveau, pour leur aide dans l'organisation parfaite de ce carnet.

À Odile Perpillou et à Véronique Loranger, pour leur gestion efficace de la production de ce carnet.

À Gilles Vézina, pour avoir fouiné dans mes affaires pour trouver de belles photos.

À Claude Frappier, pour la révision linguistique des textes.

Au docteur Luc Oligny, chef du département de pathologie du CHU de Sainte-Justine, pour avoir validé le contenu scientifique de ce carnet.

Un merci tout spécial à Caroline Fortin, François Fortin et Jacques Fortin qui, comme toujours, m'apportent leur soutien.

Je n'oublie pas tous les curieux qui m'ont envoyé leurs questions. Un énorme merci ! J'attends avec impatience vos prochaines questions...

Rendez-vous pour un prochain carnet !

professeur Génius